Alain Surget

Annette Marnat

SAN OCHTAPAS DUBH

LEABHAR
BREAC

Caibidil I

Le hÉirí Gréine

Thart ar an mbliain 1660, ar Muir Chairib,
130 míle soir ó Nicearagua.

Bhí an spéir le feiceáil i scáthán na farraige. Bhí sí dearg, agus chuir sí dath an óir ar bharra na dtonnta. Ghluais *Ordóg na Feirge* agus an *Fantasque* rompu isteach sa chlapsholas, a gcuid seolta crochta, cosúil le dhá éan mhóra agus a gcuid sciathán trí thine. Bhí Louise Bheag agus Benjamin ina suí in airde ar shlat an tseoil mhóir, leath bealaigh suas ar an gcrann mór, agus iad ag breathnú anuas ar na fir ar an deic thíos fúthu.

'Tá an craiceann bainte de mo mhéara ag deisiú na seolta sin a stróic na piléir mhóra.'

'Níor stop muid ach ag fuáil ó d'fhágamar Veracruz,' a dúirt a deartháir.

'Is aisteach an bealach atá ag Deaide lena bhuíochas a thaispeáint. Murach muid bheadh sé fós sa chillín. Shíl mise go ndéanfadh sé oifigigh loinge dínn!'

'Shíl mise go ndéanfadh sé píolóta loinge díomsa!'

'Dhéanfadh an bheirt againn gaisce ar an long seo,' a deir a dheirfiúr go brionglóideach, 'in áit Pharabas sin!'

'Más fíor gur imir sé feall ar Dheaide,' a dúirt an gasúr, 'ní thuigim cén fáth ar thug Deaide ceannas na loinge dó.'

'Ná cén fáth ar chuir sé muidne i leataobh!' a dúirt Louise Bheag go searbh. 'Níl aon mhuinín aige asainn. Fad is a bhaineann sé le Deaide níl ionainn ach gasúir loinge. Féach anois é, cromtha thar an tslat bhoird i gcuideachta Pharabas mar a bheadh seanchairde ann. Meas tú cén scéiméireacht atá ar bun acu?'

'An uair dheireanach a d'airigh mé ag caint iad bhí Deaide ag caint ar fháil réidh linne.'

'Tá a fhios agam,' a dúirt an cailín. 'Níor chodail mé néal ó shin.'

'D'éirigh liom é seo a ghoid as an gcistin,' ar sé de

chogar ina cluais.' Thaispeáin sé di an scian a bhí i bhfolach ina chrios aige.

'Scaití, ní chreidim gurb é an Captaen Roc ár n-athair.'

'Bheadh a fhios ag Marie Dhearg é, nach mbeadh? Is í ár leasdeirfiúr í agus is cuimhin léi Deaide agus í ina páiste.'

Thug Louise Bheag searradh dá guaillí. 'Airím go bhfuil gach uile dhuine ar an long seo ag insint bréag dúinn.'

Chas an cailín siar le breathnú thar a gualainn ar an *Fantasque*, a bhí ag seoladh i sruth *Ordóg na Feirge*. Ní raibh ach crann seoil amháin ar an slúpa, é mar a bheadh eite siorca ann.

'Dá mbeidís ag iarraidh muid a chaitheamh i bhfarraige bheadh sé déanta acu i bhfad ó shin,' a dúirt Benjamin.

Luigh Louise Bheag siar in aghaidh an chrainn, d'fhill sí a dhá láimh ar chúl a cinn agus lig sí osna mhór fhada aisti.

'Tá mé ag ceapadh go bhfuil siad ag brath orainn....' a dúirt Benjamin.

'… le hionsaí a dhéanamh ar ghaileon lochtaithe le hór?' a dúirt a dheirfiúr go magúil.

'Le haghaidh rud éigin eile, tá faitíos orm! Céard a dhéanfaidh siad leis an lasta nuair a bheidh sé acu?' a dúirt sé go gruama.

'Cuirfidh siad in áit éigin rúnda é. Sin an rud a dhéanann na foghlaithe mara ar fad.'

'Léigh mé i leabhar go maraíonn siad mairnéalach agus go gcuireann siad leis an órchiste é. Bíonn a thaibhse ceaptha an t-ór a choinneáil slán.'

'Bhuel?'

'Leath don Chaptaen Roc agus leath eile do
Pharabas, sin dhá chuid. Agus tá beirt againne ann,'
a deir Benjamin. 'Cá bhfios nach bhfuil sé i gceist
acu muid a mharú agus....'

'Seafóid!' a scairt Louise Bheag amach. 'Tá na
leabhair sin ag dul sa chloigeann ort! Téigh ag
glanadh na deice. Cuirfidh sé na smaointe amaid-
eacha sin as do cheann!'

'Ach....'

'Agus céard faoi Mharie Dhearg? D'fhág tú í sin
amach as an roinnt! Céard a chuirfidh sise sa pholl?
A huncail? Malibu? Dún-do-Ghob?'

'Rrrrrú!' Chuala an bheirt torann os a gcionn.

D'ardaigh siad a gcloigne agus chonaic siad an
phearóid ina shuí ar an tslat seoil. Stán sé orthu as
a shúile móra placacha agus torann á dhéanamh
aige thiar ina scornach. Nocht cruth bán idir Louise
Bheag agus na scriútaí.

Híííí!

'Faoileán!' a dúirt Benjamin.

'Chaithfeadh sé go bhfuilimid ag teacht gar don
chósta arís.'

'Talamh ar bhorrrd na sceathrrraí!' a bhéic an phearóid agus í dírithe aníos mar a bheadh coileach le héirí na gréine. 'Scaoil amach na veidhlíní! Beidh sé ina sprrraoi sna tithe tábhairrrne anocht!'

Bhí orduithe an Chaptaein Roc le cloisteáil ó bhall go post na loinge. 'Dírigh ar an talamh! Bígí réidh le hí a thabhairt thart!'

Chas an píolóta roth na loinge agus chas na mairnéalaigh na seolta.

'Sin Oileán Providencia,' a d'fhógair an Captaen Roc.

'Níl ar an oileán sin ach iascairí Indiacha,' a mheas Parabas.

'Agus calafort beag atá ag na sean-bhucainéirí. Ní chuireann na Spáinnigh mórán spéise ann mar nach bhfuil aon saibhreas ar an oileán agus mar nach stopann a gcuid gaileon ann. Cuirfimid i dtír ann le haghaidh bia, púdar agus leigheas.'

'Táimid gann ar fhir freisin,' a deir Parabas. 'Ní fhéadfaimid ionsaí a dhéanamh ar an gcabhlach óir gan caoga fear eile ar a laghad don dá long.'

'Is le cleasaíocht a thógfaimid órchiste na nInceach,

ach is fíor duit é. Teastaíonn tuilleadh fear. Cá bhfuil Benjamin agus Louise Bheag?'

'Thuas ina nead.'

'Sílim go bhfuil rud éigin orthu. Thrasnaigh siad an t-aigéan agus chuaigh siad i mbaol a mbeatha le teacht orm, ach ó táimid le chéile anois tá siad do mo sheachaint.'

'Céard leis a bhfuil siad ag súil uait?'

D'ardaigh an Captaen Roc a chuid malaí ach níor thug sé freagra ar bith air. 'Caithfear iad a chur i dtír,' ar sé. 'Is anseo a fhágfaimid slán leo.'

Caibidil II

Oileán Providencia

Ag teacht i ngar don oileán dóibh, d'éirigh na faoileáin níos dána. Thuirling siad ina scórtha ar na slata seoil agus ar na scriútaí, ag cur isteach ar na mairnéalaigh a bhí ag leagan na seolta. Bhí a ngártha chomh hard go raibh sé deacair na horduithe a chloisteáil agus iad á mbéiceadh amach ag Tá-agus-Níl — fear a bhí ina mháta ag Parabas sula ndearnadh bósan an Chaptaein Roc de.

'Fanaigí glan orrrm!' a bhéic Dún-do-Ghob agus é faoi ionsaí ag na héin mhóra bhána. 'Fanaigí glan orrrm nó báfaidh mé i bhfarrraige sibh agus tabharrrfaidh mé bhurrr gcnámha do na siorrrcanna!'

Ghluais *Ordóg na Feirge* agus an *Fantasque* go mall isteach sa chaladh beag iascaireachta, agus chuir téada i dtír ar an gcé adhmaid a bhí ag gobadh amach sa chuan. Ar aghaidh na cé, bhí dhá theach stórais agus bhí tithe ciorclacha cruinnithe thart ar shéipéal beag. Ag síneadh siar go himeall na foraoise bhí baile beag, agus an oiread tithe tábhairne ann is a bhí de thithe cónaithe.

'Fan go bhfeicfidh tú,' a dúirt Louise Bheag faoina fiacla agus í ag teacht anuas ar an deic lena deartháir. 'Ní ligfidh Deaide dúinn cos a leagan ar an talamh. Déarfaidh sé nach áit fheiliúnach dúinn é!'

Bhí Benjamin ag breathnú ar na daoine a bhí ag teacht i dtreo na loinge. Bhí cuma an fhoghlaí mara orthu go léir — éadain chrua a raibh lorg scine orthu, agus féasóga stoithneacha. Bhí piostal nó scian ina gcrios ag gach uile dhuine díobh.

'A leithéid de phaca rógairí!' a dúirt an cailín. 'Déarfainn go mbíonn sé ina spraoi sna tithe ósta. Fiú na mná, tá cuma throdach orthu!'

'Chuirfinn geall go bhfuil claíomh ag an sagart féin anseo,' a dúirt an buachaill, agus é ag cúlú siar ón ráille uathu.

'A Bhenjamin! A Louise Bheag! Tagaigí linn, táimid ag dul i dtír!' a bhéic an Captaen Roc.

Is ar éigean a chreid Louise Bheag é. D'iompaigh sí chuig a deartháir agus an dá shúil ar leathadh inti. 'Faoi dheireadh thiar, tá rud éigin le déanamh againn! Bhí mé ag imeacht as mo mheabhair ar an long seo!'

Bhí Benjamin ag slogadh go neirbhíseach. Bhí a dhóthain den eachtraíocht aige, agus b'fhearr i bhfad leis fanacht ar an long faoi shíocháin, ach níor lig an náire dó é a admháil. Níor theastaigh uaidh go gceapfadh mairnéalaigh na loinge nach raibh ann ach mairnéalach cladaigh, agus níor theastaigh uaidh go mbeadh a athair míshásta leis. Chuaigh sé chomh fada lena dheirfiúr ag an droichead bordála.

'Dírigh thú féin suas!' a scairt an Captaen Roc air agus é ag dul thairis. Bhain an Captaen a hata mór leathan dá cheann agus leag anuas ar cheann a mhic é. Ag an bpointe sin, d'eitil Dún-do-Ghob anuas den chrann seoil agus thuirling sé ar ghualainn Bhenjamin.

'Sin é é!' a dúirt an Captaen Roc de gháir. 'Tá cuma an fhoghlaí mara anois ort!'

'Agus mise?' a d'fhiafraigh Louise Bheag. 'Céard fúmsa?'

'Tá ciarsúr bróidnithe agam a rinne do mháthair,' a dúirt sé. 'Má tá sé uait tabharfaidh….'

'Rud éigin uaitse atá uaim! Ceann de do chuid piostal!'

'An é sin an méid?" a scairt sé.

'Cén fáth nach n-iarrann tú an long air fad is atá tú leis,' a dúirt Parabas. 'Mála fuála, sin é a chuirfeadh múineadh ort!'

'Radfaidh mé na focail sin siar i do scornach!' ar sí go bagrach leis. 'Tabhair dom claíomh agus taispeánfaidh mé duit…!'

'Fágaigí seo!' Leag a hathair a lámh ar a gualainn agus thug amach ar an ndroichead bordála í. 'Tá faitíos orm go bhfuil Marie Dhearg eile againn!' ar sé le Parabas.

Thug Louise Bheag croitheadh dá guaillí. Bhí fearg agus díomá uirthi. Bhí a deirfiúr mhór agus an tIndiach Tepos ar an gcé cheana féin, claíomh faoi réir aici féin agus seanmhuscaed aige siúd. D'fhág siad *Ordóg na Feirge* faoi cheannas Tá-agus-Níl agus an *Fantesque* faoi cheannas Mhalibu, agus chuaigh siad i dtír.

'Tugaigí aire don bhia agus don armlón,' a d'ordaigh an Captaen Roc do Pharabas agus Tepos. 'Gabhfaidh mé féin agus Marie sa tóir ar chriú.'

'Céard fúinne?' a d'fhiafraigh Louise Bheag. 'An bhféadfaimid cuairt a thabhairt ar mhargadh na n-éan?'

'Fanaigí le m'ais agus ná himígí as m'amharc,' a chomhairligh Marie dóibh.

Agus iad ag déanamh a mbealaigh trí na sluaite fiosracha, d'fhiafraigh Benjamin an raibh contúirt ann dóibh.

'Contúirrrt?' a bhéic an phearóid, agus é ag breathnú amach faoi bhun an hata. 'Itheann siad gasúirrr bheaga anseo!'

'Éist, nó íosfaidh mise gan salann thú!' a dúirt an buachaill leis.

'Rrrrú!' D'éalaigh an phearóid isteach faoina hata mór.

Bhí na sráideanna cúnga lán le daoine, le hasail

agus le hearraí a bhí á ndíol sna doirse. Ar gach taobh díobh bhí daoine ag caint is ag fógairt os ard i dteangacha éagsúla, in Arawak*, i Spáinnis, i gKarib, chomh maith le corrfhocal i mBéarla, i bhFraincis agus i nDúitsis. Bhí boladh an fhanaile san aer — boladh a cheil boladh na bualtraí agus na n-iasc— agus bhí faighneoga dubha fanaile crochta le triomú ar na ballaí, amhail is go raibh na tithe á gcosaint acu ar

*Teangacha sna hIndiacha Thiar iad an Arawak agus an Karib.

dhrochspioraid. Tháinig gártha chucu ó dhoirse oscailte na dtithe tábhairne. Bhí Indiaigh ina suí ar thaobh na sráide — seanghaiscígh a bhíodh gléasta i gcleití tráth, anois ag cuardach déirce agus gan orthu ach seanmhálaí garbha.

'An bhfuil tú ár dtabhairt chuig an Ochtapas Dubh?' a d'fhiafraigh Marie de dhuine díobh.

'Tá,' a d'fhreagair an Captaen Roc. 'Is sa teach tábhairne sin a bhfaighidh muid an cineál fear atá uainn.'

'Sa teach tábhairrrne?' D'fháisc an phearóid a chroibh i ngualainn Bhenjamin. 'Darrr adharrrca an diabhail, beidh sé ina rrréabadh! Beidh sé ina bháirrre fola!"

'Shílfeá go bhfuil a fhios aige cá bhfuilimid ag dul,' a deir an buachaill go himníoch.

Las meangadh ar éadan Louise Bheag. Lig sí uirthi féin go raibh claíomh breá ina láimh aici agus thosaigh sí ag pionsóireacht san aer in aghaidh namhad dofheicthe. 'Tabhair dom é sin!' ar sí lena deartháir, agus sciob sí an hata dá cheann. 'Tá an phearóid agatsa, déanfaidh sé sin thú! B'fhearr i bhfad nach mbeadh a fhios ag aon duine gur cailín mé. Is mór an mhaith go bhfuil an seanghúna bréan sin caite amach agam!'

'Gheobhaidh tú buille faoin gcluais mura mbeidh tú cúramach!'

'M'anam gur mise a bheidh ag tabhairt na mbuillí,' ar sí, agus a dorn á bagairt ar Bhenjamin aici. 'Nár bhreá liom an muineál a chasadh ar Pharabas sin! Is dóigh go gcaithfidh mé bheith sásta le cúpla foghlaí mara a bhualadh ina áit.'

Tháinig siad chomh fada le teach dhá stór a raibh balcóin air. Amach ar aghaidh an tí bhí crann mór a raibh bláthanna dearglasta air. Ar stoc an chrainn bhí comhartha ar a raibh an t-ainm 'An tOchtapas Dubh' agus pictiúr scanrúil snoite air d'ochtapas i ngreim i long. Go tobann ligeadh béic. Búir feirge! Briseadh fuinneog. Chas na páistí thart go bhfaca siad fear á chaitheamh amach tríd an bhfuinneog agus ag titim faoi chosa Mharie. Bhuail sí cois air agus d'iompaigh sé thart ar a dhroim agus gramhas feirge air. D'athraigh sé chomh luath is a d'aithin sé an bhean óg agus an Captaen Roc.

D'éirigh, agus d'imigh sé de rith síos lána uathu. Bhí Louise Bheag ar tí a deirfiúr a leanúint isteach sa teach tábhairne nuair a rug a hathair greim ar a láimh.

'Fanadh an bheirt agaibhse anseo linn.'

'Anseo?' a deir an cailín, amhail is gur buaileadh buille uirthi. 'Thug tú an fhad seo muid le muid a fhágáil inár staic taobh amuigh den doras! Bhí sé chomh maith agat muid a fhágáil ar an long!'

'Beimid ar garda,' a dúirt Benjamin, agus é sásta nach gcaithfidh sé dul isteach i nead na bhfoghlaithe mara.

'Sin é a dhéanfaidh sibh,' a dúirt an Captaen Roc, gan a shúile a bhaint den chailín. 'Ach ná himíodh ceachtar agaibh níos mó ná fiche slat ón gcrann sin.'

Shuigh Louise Bheag ar an gcéim, a dhá huilleann anuas ar a glúine aici agus a liopa íochtarach amuigh aici le teann cantail. Shuigh an deartháir lena taobh, a dhroim le balla agus a dhá láimh fillte ar a chéile aige, mar a bheadh captaen loinge ann agus a phearóid ar a ghualainn. Leath an dá shúil le hiontas ann nuair a d'éirigh a dheirfiúr ina seasamh go dána. 'Ca bhfuil tú ag dul?'

'Tá mé ag dul ag siúl thart.'

'Ach dúirt Deaide....'

'Ná bíodh aon imní ort, ní imeoidh mé níos mó ná fiche slat ón gcrann. Gabh i leith, tá do chúnamh uaim le dreapadh sa chrann.'

Chrom Benjamin faoi stoc an chrainn, d'fhigh sé a mhéara ina chéile agus rinne stíoróipí dá lámha le cabhrú léi dreapadh in airde sa chrann. Rug Louise Bheag ar ghéag os a cionn agus tharraing sí í féin aníos.

'A rrrógairrre! A rrrifíneach!' a bhéic Dún-do-Ghob, agus d'eitil sé in airde sa chrann.

D'éirigh le Louise Bheag a dhá cois a chasadh timpeall ar an ngéag agus dreapadh in airde uirthi. 'Tá sé déanta agam!' ar sí. 'Beidh an chuid eile éasca.'

'An chuid eile?' a deir Benjamin go stadach. 'Céard atá i gceist agat?'

'Tá mé ag dul isteach san *Ochtapas Dubh*, dar ndóigh!'

'Lascadh de chat na naoi n-eirrreaball, a rrraibiléarrra!' a scairt Dún-do-Ghob. 'Siúlfaidh tú an clárrr! Cuirrrfearrr go tóin poill thú! Beathóidh tú na siorrrcanna!'

'Éist, thusa, nó sacfaidh mé síos i mo hata thú!' arsa Louis Bheag ar ais leis.

'Níl a fhios agam,' a deir Benjamin leis féin agus a dheirfiúr ag dreapadh níos airde sa chrann. 'Níl a fhios agam cén trioblóid a tharraingeoidh tú anois orainn!'

D'imigh sí as amharc sna bláthanna móra dearga. Ní raibh le cloisteáil ach na duilleoga ag corraí nó gur labhair sí arís. 'Ná bíodh aon imní ort. Ní fheicfidh Deaide mé.'

Thuirling an phearóid ar ghualainn an bhuachalla arís. 'Rrrrú!'

'Tá sé ráite agat,' a deir Benjamin, agus lig sé osna agat.

Caibidil III

San *Ochtapas Dubh*

Tháinig tost ar an teach tábhairne nuair a shiúil an Captaen Roc agus Marie Dhearg isteach. Bhí an fear a chaith a chomrádaí tríd an bhfuinneog tar éis suí, agus bhí na cártaí á roinnt aige. Bhí fir ina suí ag na boird, píopaí tobac á gcaitheamh acu, a gcuid hataí tricorn ar leathmhaig agus a gcuid súl ar na cuairteoirí. Ní raibh oiread agus duine acu nár aithin an foghlaí mara clúiteach agus a iníon. Iad siúd a raibh baint acu leo roimhe sin, tharraing siad hata anuas thar a n-éadan le súil nach n-aithneofaí iad. Chrom an chuid eile a gcloigeann taobh thiar dá gcuid cártaí nó sháigh siad a srón ina gcorn rum nó uisce beatha.

Thug an Captaen Roc a shúil thart ó dhuine go duine sa seomra lán deataigh, amhail is go raibh duine éigin á chuardach aige. 'Ahá,' ar sé, nuair a chonaic sé seanfhear a raibh cois adhmaid air.

Shiúil an Captaen anonn chomh fada leis. Thóg an seanfhear a mhaide croise as an mbealach agus d'ardaigh sé a chupán agus é ag guí sláinte an Chaptaein. Leag an Captaen Roc a lámh go ceanúil ar a ghualainn. 'Cén chaoi a bhfuil tú, a Bharraicín?' Nocht meangadh gáire an fhir draid bhán. 'Céard a thugann go Providencia an bheirt agaibh?' ar sé de ghlór garbh meirgeach. 'Ní minic a fheicimid an t-athair agus an iníon in éineacht.'

'Déan spás dúinn, a sheanscadáin,' a deir an Captaen Roc go sásta.

Rinne an seanfhear spás ar an mbinse agus shuigh Marie isteach lena thaobh. Thóg a hathair stól ón mbord ba ghaire dóibh agus shuigh sé amach ar aghaidh Bharraicín. Chuir sé bleid ar fhreastalaí buíchraicneach a raibh gúna dearg uirthi.

'Hóra, a phlandóg! Tabhair chugainn crúsca tafia*.'

Chuaigh an cailín i mbun a cuid oibre agus thosaigh an chaint arís sa teach tábhairne.

*Alcól a déantar as molás

'Céard atá á dhéanamh agat i bProvidencia?' a d'fhiafraigh an seanfhear de arís nuair a bhí a chupán folmhaithe aige.

Chomharthaigh an Captaen Roc dó teannadh isteach agus chrom sé os cionn an bhoird. 'Tá cuid mhór de mo chriú caillte agam. Agus ar an oileán

seo tá neart foghlaithe mara ag iarraidh oibre.'

Chuir Barraicín strainc air féin, é ag breathnú go míshásta ar a chupán folamh agus é ag éisteacht go hamhrasach leis an gCaptaen.

'Cailleann tú do chriú go minic — bídís ar thóin na farraige nó ag luascadh den chroch!'

'Tá go leor óir le gnóthachtáil an uair seo,' a dúirt an Captaen Roc de ghlór íseal.

'Duitse, b'fhéidir. Ach is beag a bheidh ag na fir as....'

Líon an freastalaí na cupáin dóibh.

'Tá na Spáinnigh tar éis ór na nInceach a lochtú ar a gcuid long i gCartagena i Nueva Grenada,*' a deir an Captaen Roc. 'Agus tá an t-ór sin ag fanacht linn. Bheadh níos mó in aon long amháin ná mar a shaothródh muid ar fad i gcaitheamh ár saoil ar an bhfarraige.'

D'ól Barraicín bolgam agus bhain sé smeachadh as a theanga. 'Fiú má thagann tú ar chúpla gealt a leanfadh thú, tá tú ag ceapadh go bhféadfá gaileon a ionsaí agus gan agat ach an *Marie Louise* — beidh armada na Spáinne ag cosaint na loinge!'

*Seanainm ar an gColóim, Venezuala agus Equador

'Scriosadh an *Marie-Louise* i dtír na Maigheach*.
Is í *Ordóg na Feirge* atá anois faoi mo stiúir.'

'Long na Féasóige Duibhe!' a scairt an seanduine
amach, agus d'iompaigh gach uile shúil sa seomra
chucu. 'Cén plé atá agat leis an seanbhucainéar
sin?'

'Ní bhaineann sé leat,' a deir Marie go mífhoighd-
each. 'Beidh an *Fantasque* linn freisin. Tá sí níos
sciobtha ná friogáid agus níos éasca a láimhseáil.
Sleamhnóidh sí isteach idir na longa garda agus
déanfaidh a cuid gunnaí móra an-díobháil. Ach níl
dóthain fear agam féin is Deaide leis an long a
bhordáil.'

Sháigh Barraicín amach a bheola agus rinne sé
torann ina scornach, amhail is go raibh sé ag déan-
amh a mhachnaimh. 'Hmmm. Is iad an bhuíon sin
atá ag an Slogaire Gaoithe a theastódh uaibh.'

'Cé hé sin?' a d'fhiafraigh an Captaen Roc de.

'Saighdiúir a thréig cabhlach Shasana agus atá
imithe sna foghlaithe mara. Níl sé i bhfad ar an
oileán, ach tá an dream is gránna agus is contúirtí
ar domhan cruinnithe ina thimpeall aige. Dream

*Deisceart Mheiriceá Láir

iad a dhíolfadh a n-athair is a máthair ar lán ghlaice cnónna!'

'Cén fáth a dtugann siad an Slogaire Gaoithe air?' a d'fhiafraigh Marie de.

'Bhuail piléar sa ghiall é, agus níl sé in ann a bhéal a dhúnadh ó shin. Le breathnú air, shílfeá gur ag slogadh na gaoithe atá sé. Ach níl dada ar a theanga!' ar sé leis an gCaptaen Roc. 'Ach bí aireach, bheadh an rógaire sin in ann an criú a iompú i d'aghaidh agus an long a bhaint díot!'

'D'fhanfadh sé go mbeadh ór na Spáinne tógtha aige ar dtús!'

'Ní údar gáire ar bith é! An uair dheireanach a bhí sé i mbád chaith sé an captaen chuig na siorc-anna!'

'Gabhfaidh mé sa seans air,' a dúirt an Captaen Roc, agus bhain sé torann as an mbord lena chupán folamh. 'Cá dtiocfaidh mé ar…?'

Ag an bpointe sin chuala siad torann sa seomra cúil agus glamaíl mar a bheadh mac tíre ann.

'An gcloiseann tú?' a deir Barraicín. 'Sin an Slogaire Gaoithe. Níor mhaith liom a bheith….'

Chuala siad glór soiléir sa seomra cúil.

'Hóra!' a deir Marie, agus í ag éirí ina seasamh.

'Sin í Louise Bheag.'

An Slogaire Gaoithe

Cúpla nóiméad roimhe sin, nuair a bhí a hathair agus a deirfiúr ag suí chun boird le Barraicín, dhreap Louise Bheag go dtí géag a bhí chomh hard le balcóin an tí. Ón gcleachtadh a bhí aici ag dreapadh sa rigín, ní raibh aon deacracht aici dreapadh amach ar an ngéag agus í féin a chaitheamh de léim ar an mbalcóin. D'éirigh léi a cos a chaitheamh thar ráille na balcóine agus doras a bhrú isteach. D'eitil Dún-do-Ghob ó ghualainn Bhenjamin agus lean sé isteach sa seomra í.

Bhí leaba, bord, cófra agus trí chathaoir sa seomra. Ba léir gur seomra mná a bhí ann. Bhí cíor, scuab ghruaige agus buidéil bheaga cumhráin ar an mbord, agus scáthán mór ina sheasamh in aice na leapa. Thuirling an phearóid ar an scáthán agus chorraigh an scáthán ar a fhearsaid agus beag nár thit an phearóid.

'Tá mé marrrtrrraithe! Tá an namhaid arrr borrrd! Cúaccc...!'

D'fháisc Louise Bheag a lámh ar a mhuineál. 'Béic eile asatsa agus fáiscfidh mé an t'anam asat!'

'Rrrrú!'

Lena choinneáil ciúin, rad sí isteach ina hata é, d'fháisc sí an hata faoina huillinn agus d'oscail sí an doras. 'Leis an torann ar fad sa teach tábhairne, ní chloisfidh duine ar bith mé.'

Amach sa phasáiste léi. Balcóin adhmaid a bhí ann, crochta os cionn seomra cúil an tábhairne. Bhreathnaigh sí anuas thar ráille na balcóine agus níor aithin sí a hathair ná Marie i measc na bhfear a bhí ag ól ag na boird thíos fúithi. Bhí sí ar tí a bealach a dhéanamh go ciúin síos an staighre nuair a osclaíodh doras taobh thiar di.

'Céard atá tú a dhéanamh ansin?' a d'fhiafraigh fear mór ramhar di. 'Céard é sin i do láimh agat?'

'Mo hata,' a d'fhreagair Louise Bheag. Tríd an

doras oscailte bhí sí in ann bairillí uisce a fheiceáil sa seomra taobh thiar de.

'Tá rud éigin i bhfolach i do hata agat! Tá tú tagtha aníos anseo le dul ag gadaíocht sna seomraí codlata!'

'Ní gadaí mise!' Thosaigh an cailín ag cúlú i dtreo an staighre,

Síneadh lámh mhór amach chuici. 'Taispeáin dom céard atá ansin agat!' Agus bhain sé an hata di. Phreab Dún-do-Ghob amach agus baineadh preab as an bhfear. Thapaigh Louise Bheag an deis le greim a bhreith ar dhornchla a chlaímh. Tharraing sí chuici é agus, de thimpiste, ghearr sí an crios air. Thit bríste an fhir anuas thar a rúitíní.

''Dhiabhail!' a deir sé. 'Múinfidh mise béasa duit!'

Ní bhfuair sé deis labhairt arís. D'eitil an phearóid san éadan air agus b'éigean dó a shúile a chlúdach lena lámha. 'Beidh sé ina rrrucstaí,' a bhéic an phearóid. 'Beidh sé ina bháirrre fola! Mise a rrrá leat go mbeidh fuil ar smuit is malaí gearrrtha!'

Chrom an cailín a ceann, agus thug sí poc dá

ceann sa bholg don fhear ramhar. Thit sé siar, bhuail sé faoin ráille agus thriail sé é féin a dhíriú aníos, ach chuaigh a chosa i bhfostú ina bhríste, shín amach a lámh agus bhris an ráille faoina mheáchan agus thit sé i ndiaidh a chúil gur thuirling sa seomra thíos fúthu ar bhord an tSlogaire Gaoithe. Leagadh an bord ar a thaobh agus caitheadh crúsca rum agus cupáin ar an urlár. Lig an Slogaire Gaoithe béic as. Bhrúigh sé an fear ramhar i leataobh.

'Is í an cailín a rinne é,' a dúirt an fear ramhar go stadach, agus a mhéar á síneadh in airde aige. 'Bhí sí ag cuardach sna seomraí.'

'D'éirigh an Slogaire Gaoithe ina sheasamh. Bhí gach uile shúil sa seomra ar an gcailín ar bharr an staighre, a hata ar a ceann agus a claíomh ina láimh. Thosaigh cuid acu ag gáire, ach ní raibh an Slogaire Gaoithe ina measc. Tharraing sé a chlaíomh as a thruaill agus leag sé a chos ar an gcéad chéim. 'Tá dlí ar an oileán seo,' a d'fhógair sé. 'Ní ghoideann Bráithre an Chósta* óna chéile. Is cosúil go bhfuil dearmad déanta agat air sin, a chladhaire!'

'Níl dada goidte agamsa!' a d'fhreagair Louise

*Foghlaithe mara

Bheag. 'Ach más troid atá uait tá tú san áit cheart, a chunúis!'

'Níl a fhios ag an óinseach sin cé leis a bhfuil sí ag caint,' a deir an Slogaire Gaoithe, 'ach is gearr go múinfidh mise di é!'

A chlaíomh ardaithe roimhe aige, dhreap sé an staighre.

D'éirigh Dún-do-Ghob go scanraithe agus d'eitil timpeall an tseomra. 'Tá sí ag tógáil uisce! Téigí ag taoscadh go beo! Cuirrrigí na báid chun farrraige!'

Bhain an Slogaire Gaoithe barr an staighre amach. Sheas Louise Bheag roimhe, dánaíocht ina súile, a cuid fiacla fáiscthe ar a chéile. Is í féin a d'ionsaigh. Bhain na lanna tinte creasa as a chéile. Le buille dá chlaíomh chuir an foghlaí mara claíomh an chailín ar eitilt san aer. Bhí Louise Bheag teannta in aghaidh an bhalla.

'Anois,' a deir an foghlaí mara. Leis sin mhothaigh sé a hata tricorn ag éirí san aer, agus chonaic a hata greamaithe de bhalla an tseomra agus cois scine ag gobadh as.

'Ná leagtar méar ar mo dheirfiúr!'

Bhí gach uile shúil sa seomra ar an doras, agus ainm ar bhéal gach duine.

'Marie Dhearg?' a deir an Slogaire Gaoithe nuair a chuala sé an t-ainm. 'Cé sa diabhal í Marie Dhearg?'

'M'iníon,' a deir an Captaen Roc agus é ina sheasamh sa doras taobh thiar di. 'Agus iníon eile liom an cailín beag a bhfuil do chlaíomh dírithe uirthi.'

'Agus tusa? Cé thú féin? Bíodh a fhios agat go bhfuil hata agam ort!'

'Féadfaidh tú lán loinge acu a cheannach má tá tú féin agus do chuid fear sásta liostáil i mo chriú.'

'Cén criú?'

'Criú an Chaptaein Roc.'

'An Captaen Roc? D'airigh mé caint ort. D'íocfadh na Spáinnigh agus na Sasanaigh go daor as do cheann.'

'As do cheannsa freisin,' a mheabhraigh an Captaen Roc dó.

'Tá na naimhde céanna againn,' a dúirt an Slogaire Gaoithe. Tháinig sé anuas an staighre go mall.

'Suímis agus ólaimis braon tafia sula bpléifimis

cúrsaí gnó,' a dúirt an Captaen Roc. 'Maidir leatsa,' a dúirt sé le Louise Bheag, 'd'ordaigh mé duit fanacht taobh amuigh linn!'

Thug an foghlaí mara súil ar a chomrádaithe, ansin shín sé a lámh amach chuig an gCaptaen Roc. 'Tá go maith,' ar sé, 'más tú atá ag íoc na reicneála.' Nuair a bhí greim daingean aige ar lámh an Chaptaen lig sé béic as. 'Chugamsa, a fheara!'

Leis sin, brúdh siar stólta agus cathaoireacha, agus léim ceathrar fear chucu. Chaith beirt iad féin ar an iníon fad is a bhí an t-athair á thimpeallú ag an mbeirt eile.

'Ní dhíolaim mo chuid seirbhísí ach leis an bhfear is láidre,' a deir an Slogaire Gaoithe agus rinn a chlaímh ar scornach an Chaptaein Roc aige. 'Tá an luach céanna ort beo nó marbh. Díolfaidh do chloigeann as pardún dom.'

'Hóra, a Bhéil Chaim!'

Ar chloisteáil Louise Bheag dó, chas an Slogaire Gaoithe thart. Chonaic sé buicéad adhmaid ag eitilt tríd an aer chuige. 'Céard sa diabhal...?'

Phléasc an buicéad ag a chosa agus caitheadh

uisce in aer. Phreab gach uile dhuine ar chúl. Scaoil an Captaen Roc a lámh.

'Beidh sé ina bháirrre....' a bhéic an phearóid, agus an dara buicéad ag eitilt tríd an aer.

Bhuail an buicéad faoi ghualainn duine de na foghlaithe mara a bhí i ngreim sa Chaptaen Roc. Bhuail an Captaen a uillinn sa ghiall ar an bhfoghlaí mara eile, á chaitheamh in aghaidh an tSlogaire Gaoithe, agus chaith sé é féin ar an mbeirt a bhí i ngreim i Marie Dhearg. Caitheadh iad ar fad ar an urlár.

Is ansin a scairt Barraicín amach. 'Buidéal rum d'aon duine a thabharfaidh a chosa slán as seo!'

Phreab siad ar fad ina seasamh ansin agus thosaigh an t-achrann, an greadadh agus an gleadhradh, an bualadh agus an bascadh. Bhí cupáin is stólta á gcaitheamh ar gach taobh. Rinne na freastalaithe iarracht éalú as an seomra ach ní raibh siad in ann imeacht leis an slua a bhí ag teacht isteach as seomraí eile, agus iad ar bís le dul ag gabháil de dhoirne ar a chéile.

Tháinig Benjamin isteach nuair a chuala sé an gleo, agus scuab an slua chun siúil é. Sa seomra cúil buaileadh buille de chrúsca air agus chuaigh sé ar foscadh faoi bhord.

Bhí na fir ag bualadh is ag dornáil a chéile go ríméadach sásta. Bhí cathaoireacha á mbriseadh, agus potaí agus gloiní á gcaitheamh le balla. Bhí daoine ag búiríl agus ag gáire, agus daoine eile ag troid go fíochmhar. Leag Marie Dhearg duine den dream a bhí i ngreim inti roimhe sin, agus bhí an duine á leanúint timpeall an bhoird aici fad is a bhí an Slogaire Gaoithe á phlancadh ag a hathair. Agus bhí Louise Bheag ag caitheamh uisce leo as tobán a bhí in úsáid mar fholcadán ag an bhfear ramhar.

'Tá sé ina rrréabadh! Tá sé ina ghleadhrrradh! Tá sé ina bháirrre fola!' a bhéic an phearóid. 'Beidh fuil ar smuit agus malaí gearrr....'

Pléasc!

Rinne an torann staic de gach uile dhuine sa seomra. Is beag nár thit an phearóid. Shín sé amach a dhá sciatháin agus d'eitil chomh fada le ráille na balcóine.

Chualathas glór mná. 'Sin é bhur ndóthain, a phaca bithiúnach!'

Go feargach, dhírigh bean mhór dhubh gunna mór béal-leathan ar an slua. 'Tá sí lochtaithe agam!

Ardóidh mé an cloigeann den chéad duine a chorróidh. Leagadh gach duine dhá maravedí* ar an mbord agus sibh ag dul amach as seo. Íocfaidh sé as cuid den damáiste.'

*bonn airgid Spáinneach

D'imigh na fir amach ina nduine agus ina nduine, boinn airgid á bhfágáil acu i mbabhla. Agus a cuid féin á íoc aici labhair Marie Dhearg le Carla Dominga. 'Is í mo dheirfiúr a thosaigh an trioblóid ar fad,' ar sí. 'Fágfaidh mé í féin agus mo dheartháir anseo le cabhrú leat caoi a chur ar an áit arís.'

'Ní fhágfaidh tú!' a bhéic Louise Bheag. 'Murach muidne bheadh sibh sractha ó chéile ag an mBéal Cam sin!'

'Sin an-smaoineamh,' a dúirt an Captaen Roc. 'Caithfidh mé labhairt leis an Slogaire Gaoithe, ach tiocfaidh mé ar ais chugaibh gan mhoill.'

Rinne Louise Bheag iarracht a hathair a leanúint, ach rug Carla Dominga greim gualainne uirthi agus choinnigh sí sa teach í. 'Fan anseo, a chuach bheag! Agus tusa freisin,' ar sí agus a gunna brúite in aghaidh bholg Bhenjamin aici.

'Agus tabhair dom ar ais mo scian!' Sciob Marie an scian as crios Louise Bheag agus chroch sí a lámh i mbeannacht di sular imigh sí amach an doras.

'Táimid tréigthe ag Deaide,' a dúirt Louise Bheag.

'Níl,' a dúirt Benjamin go héiginnte. 'Dúirt sé go

dtiocfadh sé ar ais.' Ach ina chroí istigh níor chreid Benjamin é sin.

Caibidil V

Tréigthe!

Níos deireanaí, bhí cuma níos fearr ar sheomra cúil an Ochtapais Dhuibh. Bhí na boird curtha ar ais ina seasamh. Bhí na sceilpeanna a baineadh astu le buillí claímh líonta le céir. Bhí na cathaoireacha briste carntha i gcúinne, agus bhí an t-urlár á scuabadh ag an gcúpla, le cúnamh Mharina, Indiach mór trom a raibh trilseáin mhóra tiubha anuas go coim uirthi.

'Shílfeá nach raibh aon deifir ar ais ar Dheaide,' a dúirt Louise Bheag.

'Chaithfeadh sé go bhfuil sé ag tógáil níos mó ama air mairnéalaigh a earcú ná mar a shíl sé.'

'Seafóid!' a dúirt a dheirfiúr. 'Chomh luath is a luaitear ór, bíonn fir na leathchoise féin ag rith chun farraige!'

'Ar aon nós, chomh luath is a bheimid críochnaithe anseo, ligfidh an t-úinéir dúinn imeacht. Níl le déanamh againn ach….'

Stop Benjamin nuair a chuala sé 'Bhí sé thar ama agat!' ó Charla Dominga sa chistin, agus glór an Chaptaein Roc.

'Tuilleadh diabhail ag an Ochtapas Dubh!' a deir Louise Bheag, agus chaith sí uaithi a scuab. 'Táimid ag dul ar bord *Ordóg na Feirge*!'

'Scaoillígí téad! Crrrochaigí seolll!' a deir Benjamin, agus aithris á dhéanamh aige ar an bpearóid. Chaith seisean a scuab uaidh freisin.

Bhuail an scuab crúsca deas cré a bhí leagtha ar bhord — an t-aon chrúsca a tháinig slán ón réabadh — agus rinne sí mionachar de.

Sheas Marina isteach san áirse idir an dá sheomra. 'Hóra, a niños! An rud a bhrisfidh sibh, íocfaidh sibh!'

'Lig amach muid!'

Chroith an tIndiach a ceann.

'Tá Deaide tagtha chun muid a thabhairt leis,' a mhínigh Benjamin. 'Níl tú le muid a choinneáil mar gheall ar chrúiscín beag bréan!'

Níor chorraigh Marina.

'A leithéid d'óinseach!' a deir Louise Bheag. 'A Dheaide! A Dheaide!' Níor tháinig aon fhreagra ón seomra eile. Ach bhí a hathair cloiste aici ag labhairt le Carla Dominga.

Thosaigh Benjamin ag glaoch ar a athair chomh maith.

'An rud a bhrisfidh sibh, íocfaidh sibh!' a dúirt Marina arís.

Shuigh Louise Bheag ar an urlár, a lámha fillte aici, agus cuma dhána uirthi. 'Fan go bhfeicfidh tú! Tiocfaimidne ar ais le long lán óir agus cuirfidh mé ag sciúradh na deice thú le do sheancheirteanna bréana!'

Chuala siad glór an Chaptaein Roc arís, ansin dúnadh doras agus thit tost ar an teach.

'Ní féidir....' a dúirt Benjamin. 'Tá Deaide imithe gan muid!'

Nuair a tháinig sí chuici féin, chaith Louise Bheag í féin ar Mharina agus chuaigh ag gabháil de dhoirne uirthi agus í ag béiceadh. 'A Dheaide! A Dheaide!'

Chuir an tIndiach mór a dhá láimh thart timpeall ar Louise Bheag agus chroch sí den urlár í. Ansin, chas sí ar a sála agus rug sí ar Bhenjamin agus é ag iarraidh sleamhnú amach idir í agus an balla. Chroch sí an bheirt faoina cuid ascaill, mar a bheadh dhá mhála plúir ann, agus thug sí léi isteach i lár an tseomra iad agus leag anuas ar bhinse iad.

Tháinig Carla Dominga isteach agus í ag fógairt orthu. 'Beidh an Captaen Roc ag crochadh ancaire anocht, agus ní bheidh sé ag iarraidh an dá phriompallán seo faoina chosa aige.'

'Priompalláin!' a deir Louise Bheag go feargach. 'Ach muidne a chlann!'

'Dá mbeadh faitíos air go gcuirfeadh muid isteach ar na mairnéalaigh d'fhéadfadh sé muid a chur inár suí in airde ar shlat an tseoil mhóir nó a chur síos faoin deic!' a dúirt Benjamin.

'Táimse in ann seol a stríocadh nó snaidhm a chur i rópa! a dúirt Louise Bheag go feargach.

'Ní dóigh liom go dtuigeann sibh.' Leag an bhean a dhá láimh anuas ar an mbord agus chrom sí os a gcionn. 'Tá bhur n-athair ag iarraidh a bheith réidh libh!'

Phreab Louise Bheag ina seasamh. 'Níl sé sin fíor!'

Bhrúigh Marina ar ais anuas ar an mbinse í.

'Céard a dúirt sé leat? Céard a dúirt sé leat?' a dúirt Louise Bheag agus a dhá dorn a mbualadh anuas ar an mbord aici.

'Go bhfanfaidh an bheirt agaibh san Ochtapas Dubh,' a dúirt Carla Dominga.

Nuair a chuala sí é sin thosaigh Louise Bheag ag creathadh. 'Táimid díolta aige!'

D'fháisc Benjamin a dhá láimh thart timpeall ar a deirfiúr. 'Go réidh,' a dúirt sé léi. Chuir sé cogar ina cluais. 'Éalóimid. Geallaim duit. Tá an scian a thóg mé as an gcistin ar *Ordóg na Feirge* fós agam.'

Thóg Louise Bheag anáil mhór agus d'airigh sí an teannas ag imeacht as a colainn. D'fhán sí ina suí ag an mbord.

'Fúthu féin atá sé,' a dúirt Carla Dominga. 'Déanaigí an obair a thugaimse daoibh i gceart nó cuirfidh mé faoi ghlas sibh sa siléar in éindí leis na bairillí.'

'Tá sé ceart go leor,' a dúirt Benjamin. 'Déanaimid é.'

'Chun na hoibre, mar sin! Tá soithí briste fós ar an urlár. Nuair a bheidh an seomra glanta, faighigí cathaoireacha eile sa stóras agus tugaigí anseo iad. A Mharina, coinnigh súil ghéar ar an dá eascann seo! Níl aon chead acu imeacht as seo nó go mbeidh an dá bhád curtha chun farraige. Níor mhaith liom go gcaithfeadh an Captaen Roc piléar gunna mhóir leis an teach.'

D'éirigh an cúpla, a gceann fúthu, agus phioc siad suas an dá scuab. Chuaigh siad ag scuabadh go míshásta, a gcuid smaointe in áit éigin eile, mar a bheadh dhá phuipéad ann.

'Féach anois muid,' a dúirt Louise Bheag, 'inár bpríosúnaigh san Ochtapas Dubh.'

'Rrrrrú!' a dúirt Dún-do-Ghob, agus é ina shuí in airde ar shlabhra an lampa iarainn.

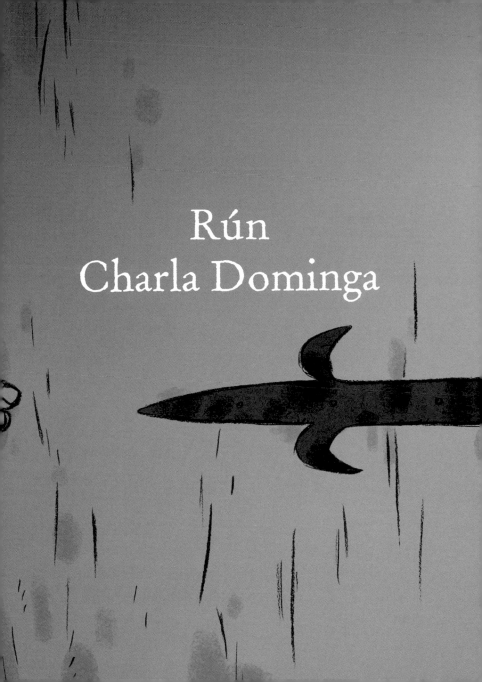

Rún
Charla Dominga

Thit an oíche de léim. Leáigh Oileán Provedencia san fharraige dhubh. Faoi shúil ghéar Charla Dominga, bhí gleo mór ar bun ag na custaiméirí san Ochtapas Dubh. Tar éis tamaill, d'fhág sí Marina agus na giollaí eile i bhfeighil an tí, agus d'imigh léi suas an staighre go dtí na seomraí. Thóg sí eochair a bhí crochta de thairne, agus d'oscail an glas ar dhoras léi. Bhí Louise Bheag agus Benjamin ina suí ar an urlár faoi fhuinneog a raibh barraí iarainn uirthi. Níor ardaigh siad a súile nuair a tháinig sí isteach. Bhí cuma thuirseach ar Dún-do-Ghob féin, agus a cheann sáite faoina sciathán aige.

'Tá pus ar an mbeirt agaibh!' a dúirt Carla Dominga. Thóg sí smig Louise Bheag ina láimh, agus chonaic sí go raibh na deora ag sileadh léi.

'Cén chaoi a n-aireofása dá dtréigfeadh d'athair thú?' a dúirt Benjamin. 'Sheolamar trasna na farraige ar thóir ár n-athar, shábhálamar é ó na Spáinnigh, agus ansin chaith sé uaidh muid mar a dhéanfá le seanbhróg. Céard a rinneamar air?'

'Níor thréig sé sibh!'

'Táimid faoi ghlas agatsa anseo, ar a ordú!' a dúirt Louise Bheag. 'Tá seisean ag imeacht ar an bhfarraige, agus muidne inár bpríosúnaigh sa teach tábhairne seo! Dhíol sé muid agus d'éalaigh sé gan focal. Ní dhéanfadh é sin ach cladhaire ... nó feallaire ... nó bithiúnach...!'

Tharraing Clara Dominga stól chuici féin, agus shuigh in aice léi. 'Feicim go bhfuil míthuiscint mhór oraibh,' a dúirt sí. 'Tá aithne le fada agam ar an gCaptaen Roc, agus tá mé in ann a rá nach cladhaire é, ná feallaire, ná bithiúnach.'

'Chualamar é ag rá le Parabas gur mhaith leis muid a bheith as an mbealach,' a dúirt Benjamin.

'Ní hé ár n-athair é ar chor ar bith!' a bhéic Louise Bheag. 'Duine níos deise é ár n-athair!'

'Anois, anois, a chuach bheag.' Chuimil Carla

Dominga a lámh dá gualainn. 'Creid uaimse é, is é an Captaen Roc bhur n-athair. Níor imigh lá riamh nár smaoinigh sé oraibh. Má d'fhág sé anseo sibh, rinne sé é sin chun nach mbeadh bhur mbeatha i mbaol i gcath farraige. Tá contúirtí amach roimhe.

D'fhéadfaí a long a chur go tóin poill. Tá an iomarca grá aige daoibh chun go ligfeadh sé do rud ar bith tarlú daoibh.'

'An é sin a dúirt sé leat?'

'Is ea. Agus ní raibh aon bhréag ann.'

'Mar sin, cén fáth ar fhág sé gan slán a fhágáil linn?' a d'fhiafraigh Louise Bheag, 'Cén fáth nár inis sé dúinn é?'

'Níl bhur n-athair cleachta ar an gcineál sin ruda. Tá sé in ann criú a smachtú, ach is beag eolas atá aige ar pháistí. Bhí faitíos air go ngéillfeadh sé daoibh, agus bhí sé deacair air a bheith an-dian oraibh. B'fhearr leis é sin a fhágáil fúmsa.'

'Bheadh sé go deas dá gcuirfeadh sé a lámha timpeall orainn,' a dúirt Benjamin.

'Ní maith leis an gCaptaen Roc slán a fhágáil. Tabharfaidh sibh póg dó nuair a thiocfaidh sé ar ais.'

'An mbeidh sé mar sin gach uile uair a imeoidh sé?' a d'fhiafraigh Louise Bheag.

'Seo é a thuras deireanach,' a dúirt Carla Dominga. 'Tá an Captaen Roc tuirseach de shaol na dtonnta.'

'I ndáiríre? Fanfaidh sé linne ina dhiaidh seo?'
Las súile Louise Bheag le ríméad.

Chroith Carla Dominga a ceann agus rinne sí
meangadh gáire. 'Ar dtús beidh sé ar nós faoileáin
ar an talamh. Aireoidh sé uaidh an fharraige go
mór. Caithfidh sibh a bheith foighneach leis. Ní
bheidh sé sin éasca i gcónaí, daoibhse ná dósan.'

'Cén fáth ar chuir tú faoi ghlas muid in áit é
sin a insint dúinn?'a d'fhiafraigh Benjamin. 'Agus
cén fáth a raibh tú chomh gránna linn ar dtús?'

'D'ordaigh an Captaen Roc dom súil ghéar a
choinneáil oraibh nó go mbeadh a lasta agus a
chriú nua, buíon an tSlogaire Gaoithe, ar bord aige.
Bhí a fhios aige go maith go ndéanfadh sibh iarracht
éalú ar bord *Ordóg na Feirge* nó an *Fantasque*. Sin
an fáth ar fhág sé sibh san Ochtapas Dubh. Agus
má bhí mé beagáinín mífhoighneach libh níos
luaithe, cuimhnígí go raibh mé beagáinín trína
chéile faoi mo chuid cathaoireacha is potaí briste.
Ón lá amárach amach, beidh cead bhur gcois agaibh
ar an oileán — agus is mise atá freagrach asaibh,'
a dúirt Carla Dominga. D'éirigh sí ina seasamh.

'Agus, mo chuimhne! Is é anocht Oíche San tSeáin, Oíche na dTinte Cnámh. Ná bíodh aon iontas oraibh má chloiseann sibh pléascáin sna sráideanna.'

Ag dul amach an doras di, sheas sí agus labhair arís. 'Ná bíodh aon imní oraibh faoi bhur muintir. Cosnóidh an Captaen Roc iad ar philéir Spáinneacha, agus is gearr go mbeidh an cúigear agaibh le chéile arís.'

'An cúigear againn?' a dúirt Louise Bheag. 'Níl ann ach an ceathrar againn, muid féin agus Deaide agus Marie Dhearg.'

'Rinne tú dearmad ar Roger de Parabas.'

'Parabas?' a dúirt Benjamin. 'Cén gaol atá aigesean linn?'

'Sin é col ceathrar bhur n-athair — col cúigear libhse é. Ní raibh a fhios agaibh?'

Dhún sí an doras, casadh an eochair sa ghlas, agus fágadh Louise Bheag agus Benjamin sa seomra.

'Parabas! Ár gcol cúigear? Tuigim anois cén fáth nár chaith Deaide sa pholl é,' a dúirt Benjamin.

'Parrrabas! Parrrabas!' a bhéic Dún-do-Ghob,

72

amhail is gur dhúisigh an t-ainm é. 'An rrrrógairrre sin Parrrabas agus a hata mórrr....'

'Éist! Agus ná bí ag maslú mo mhuintire!'

'Rrrrú!'

D'eitil an t-éan go dtí an cófra agus chuaigh ag géarú a ghoib ar an adhmad.'

'Ach fan nóiméad!' Bhí an chuma ar Bhenjamin

go raibh sé as anáil. 'Más marquis é Parabas, chaith-feadh sé ar a laghad ar bith gur marquis é Deaide, nó iarla nó prionsa?'

'Agus muid féin chomh maith!'

Ach ba ghearr gur tháinig duairceas ar Bhenjamin arís. 'Marquis, b'fhéidir, ach marquis bocht gan pingin. Nach cuimhin leat? Chuir Parabas chun

farraige le hairgead a shaothrú. Is dóigh nach bhfuil leathphingin rua ag Deaide ach aon oiread. Murach go raibh Mama ag obair i muileann éadaigh i bPáras, ní bheadh díon féin os ár gcionn.'

'Ach ná déan dearmad ar órchiste Dheaide!' a mheabhraigh Louise Bheag dó. 'Agus an t-ór a bhainfidh sé de na Spáinnigh! Leis sin beidh sé in ann pálás an Louvre a cheannach!'

'Mura ngoidfidh Parabas agus Marie gach uile phingin uaidh! Níl muinín agam as ceachtar acu.'

'Tá an ceart agat,' a dúirt a dheirfiúr. 'Caithfimid filleadh ar *Ordóg na Feirge* le súil a choinneáil ar an mbeirt sin. Meas tú an féidir na barraí a scaoileadh le do scian?'

Scrúdaigh Benjamin fráma na fuinneoige. 'Adhmad péine atá ann, ní thógfaidh sé i bhfad orm.'

'Fanfaimid go mbeidh sé dorcha, nuair a thabharfaidh Carla Dominga chugainn an suipéar. Le torann na dtinte cnámh, ní chloisfidh duine ar bith muid.' Stop sí ansin, agus chuimhnigh sí uirthi féin. 'Meas tú…?

'Céard é féin?'

'Meas tú an é Roc an sloinne ceart atá orainn? Shílfeá gur leasainm a bhí i gCaptaen Roc, cosúil leis an bhFéasóg Dhubh, Buille Claímh, Goll, agus a leithéidí. Tá súil agam nach Parabas an sloinne atá orainn. B'fhearr liom Legrand, nó D'Artagnan, nó de la Rochefoucauld,' ar sí agus í á bhfuaimniú le sásamh.

Caibidil VII

Oíche San Seáin

Bhí sé ina phléascadh san oíche. Bhí tinte ealaíne ag éirí sa spéir dhubh, agus ag oscailt ina mbláthanna geala. Bhí ceol á chasadh agus daoine ag damhsa agus iad ag canadh in ard a gcinn. Bhí an tOchtapas ag creathadh leis an torann ar fad.

'Chaithfeadh sé go bhfuil Carla Dominga ina suí san áirse idir an dá sheomra, a méar ar an truicear, agus í réidh le lán an bhairille a scaoileadh le haon duine a bheadh ag achrann.'

Bhí Benjamin ag scríobadh an adhmaid thart timpeall ar na barraí iarainn. 'Céard a dhéanfaimid má ruaigeann Deaide muid?' ar sé.

'Tá súil agam go mbeimid in ann éalú ar bord sa dorchadas. Nuair a bheimid amuigh ar an domhain ní bheidh sé in ann casadh ar ais.'

'Ach má thagann sé orainn roimhe sin?'

'Feicimid! Déan deifir leis sin. Caithfimid na braillíní a cheangal le chéile fós, agus tá sé ag éirí deireanach.'

Agus a theanga faoina dhraid aige, d'éirigh le Benjamin na barraí deireanacha a scaoileadh. Chuir sé a scian ina chrios ansin, rug greim ar na barraí agus tharraing sé amach as an bhfráma adhmaid iad. Chabhraigh sé lena dheirfiúr na braillíní a snaidhmeadh ina chéile, agus cheangail sé iad le scaoilteog a d'aimsigh sé sa chófra.

'Tá sé sách fada anois,' a dúirt Louise Bheag.

Tharraing siad an leaba chomh fada leis an bhfuinneog agus cheangail siad ceann amháin den rópa braillíní le cois na leapa. Rug Louise Bheag greim muiníl ar an bpearóid. 'Ná cloisim gíoc ná míoc asatsa!' Agus chaith sí amach an fhuinneog í.

Duine i ndiaidh a chéile, dhreap an cúpla amach an fhuinneog, shleamhnaigh siad anuas an balla, agus léim go talamh.

'B'fhearr dúinn dul tríd an bhforaois,' a mhol

Benjamin. 'Ar fhaitíos go gcasfaí duine den chriú orainn.'

Ghlac Louise Bheag lena chomhairle. Leis an bhfaiche os comhair na heaglaise a sheachaint, áit a raibh gleo agus gártha le cloisteáil, d'imigh an

cúpla suas lána beag cúng agus isteach leo san fhoraois. Ag fanacht le ciumhais na foraoise, rinne siad a mbealach thart timpeall ar an mbaile, agus na tinte ealaíne ag pléascadh san oíche os a gcionn.

Chonaic siad fir agus mná ag léim agus ag gárthaíl timpeall na tine cnámh. Lasta ag solas na tine, ba chosúil le cailleacha agus deamhain iad.

Sheachain an cúpla fréamhacha na gcrann, poill uisce agus géaga a bhí á mbualadh san éadan, agus ghluais siad rompu i leathchiorcal thart timpeall ar an mbaile. Bhí an oíche níos dorcha nuair a bhain siad an cósta amach. Faoi shoilse na dtóirsí a bhí ag dul anonn is anall ar an gcé, chonaic siad na foghlaithe mara ag iompar málaí agus bairillí go dtí an long.

'Tá slúpa Mharie curtha chun farraige,' a dúirt Louise Bheag. 'Tá sé ag tógáil níos mó ama ar Dheaide an bruigintín a lochtú.'

'Dár ndóigh, tá sí níos mó. Ach cén chaoi a ngabhfaimid ar bord?'

'Tá smaoineamh agamsa. Sleamhnóimid isteach sna málaí. Leagfar na cinn dheireanacha a lochtófar ar bharr an charnáin i bpoll na loinge. Ní bheidh aon deacracht againn teacht amach astu.'

D'fhan an cúpla go raibh na fir imithe i dtreo na loinge le hualaigh ar a ndroim, agus d'éalaigh sí chomh fada leis na málaí a bhí carntha ar an gcé. Tharraing siad dhá mhála lána go himeall na cé agus dhoirt siad i bhfarraige cuid mhór de na pónairí tirime a bhí iontu. Thug siad na málaí ar ais chomh fada leis an gcarnán ansin.

'Tóg Dún-do-Ghob, tusa, agus sac isteach i do hata é. B'fhéidir nach gcloisfidh siad é má thosaíonn sé ag clamhsán.'

'Rrrógairrrí! Rrrrifínigh! Bithiú... glup!'

'Tá sé sin déanta agam,' a dúirt Louise Bheag. Isteach léi sa mhála, rinne sí áit di féin sna pónairí agus d'fháisc sí a hata faoina huillinn.

Cheangail Benjamin an corda a bhí ar an mála di, ansin chuaigh sé féin isteach sa mhála eile. Agus é ag cromadh síos ann, chaith sé súil dheireanach ar an long a bhí ag luascadh go bog ar na tonnta. 'Tá cuma dhifriúil ar *Ordóg na Feirge*,' a dúirt sé leis féin. 'Ach, dár ndóigh, tá sé dorcha, agus táimse ag breathnú uirthi ón taobh thiar.' Shleamhnaigh sé isteach sa mála pónairí ansin, agus rinne sé iarracht an mála a dhúnadh os a chionn.

Tháinig na fir ar ais go tromchosach tuirseach.

Chrom siad, agus chaith siad na málaí aniar ar a nguaillí.

'Breathnaigh!' ar sé. 'Níl an mála seo dúnta i gceart. Tabharfaidh an Captaen lascadh den chat dom má fhágaim leath na bpónairí ar an gcaladh.'

Cheangail sé an tsnaidhm ar an mála, rud a shásaigh Benjamin go mór, mar bhí faitíos air go mbreathnódh sé isteach ann. Agus iad crochta ar dhroim na bhfear, rinne an cúpla iarracht gan corraí. D'aithin siad ó thorann na gcos go raibh an caladh cloiche fágtha acu agus go raibh siad á dtabhairt amach thar an gcé adhmaid, ansin in airde thar an droichead bordála, agus á gcaitheamh anuas ar an deic. Chuala siad cúpla focal agus iad á gcrochadh ag na mairnéalaigh arís agus á n-iompar go garbh tríd an haiste agus anuas faoin deic ar staighre rite. Ansin, eitilt tríd an aer, agus titim trí mhéadar síos i bpoll na loinge. Tháinig Benjamin anuas ar a bholg. Bhí a bhéal lán le pónairí tirime. Chuala sé Dún-do-Ghob ag clamhsán agus Louise Bheag ag titim lena thaobh. Dúnadh an haiste os a gcionn.

Tost. Chuala siad cosa nochta ag rith ar an deic os a gcionn, agus díoscáin adhmaid. Ansin d'airigh siad an t-urlár ag corraí fúthu.

'Sin é é,' a deir Benjamin. 'Táimid ar an bhfarraige!'

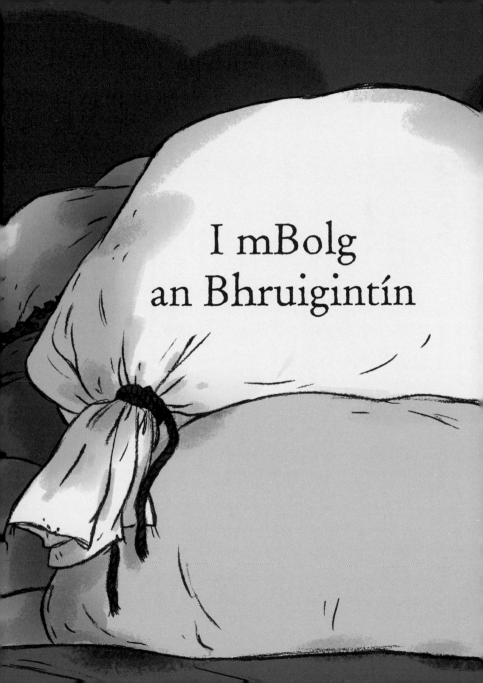

I mBolg
an Bhruigintín

Le scaitheamh fada bhí an fharraige le cloisteáil ag tuairteáil in aghaidh chabhail na loinge, agus an bruigintín ag gluaiseacht roimpi go luaineach, ag éirí ar bharr toinne agus ag ísliú sa log arís. Tháinig fir anuas sa pholl faoi dhó chun bairillí uisce a thabhairt leo, ach bhí tamall maith caite ó tháinig duine ar bith ar ais.

Ghlaoigh Benjamin ar a dheirfiúr. 'A Louise Bheag!'

Chuala sé guth bodhar á fhreagairt. 'Sílim go bhféadfaimid teacht amach anois.'

Thóg sé an scian agus ghearr sé an canbhás. Dhoirt na pónairí beaga amach ar an urlár. Tháinig sé amach as an mála agus ghearr sé an ceangal ar mhála a dheirféar. Tháinig dhá sciathán as an hata.

'In ainm Chrrroim! Tá sé chomh dorrrcha anseo le grrrinneall na farrraige!'

Tháinig siad anuas den charn málaí agus dhreap siad aníos as poll na loinge. Thuas faoin deic, tháinig siad ar dhoras a bhí oscailte ar éigean. Lig an doras isteach solas glas na maidine orthu. Ar gach taobh díobh bhí leapacha crochta den tsíleáil agus iad ag luascadh anonn is anall le rithim na loinge. Bhí cúpla cófra tairneáilte de na ballaí adhmaid, agus gunnaí móra os comhair na sleaspholl agus iad ceangailte den urlár le rópaí móra. Bhí lampaí crochta os cionn na ngunnaí.

'Tá sé aisteach,' a dúirt Benjamin. 'Shílfeá go raibh rud éigin athraithe anseo.'

'Dár ndóigh, tá,' a dúirt Louise Bheag. 'Tá criú nua ag Deaide, agus is dóigh go bhfuil a gcuid féin déanta acu den long.'

'Céard a déarfaimid leis nuair a fheicfidh sé muid?'

'Déarfaimid leis go bhfuilimid an-mhór leis! Agus nach bhféadfaimid a bheith scartha uaidh! Agus … agus…. Ó! Cuimhneoimid ar rud éigin!'

Ar staighre ard rite, dhreap siad in airde go dtí an deic dheiridh. D'oscail siad an haiste agus, sular éirigh leo dul i gcleachta ar sholas na maidine, d'éirigh cruth ard tanaí amach rompu. Bhí an oiread iontais ar an gcúpla agus a bhí ar an gcuaille ard tanaí.

'A Chaptaein!' a bhéic an foghlaí mara, agus é ag casadh ar ais i dtreo na deice. 'Tá mé ag ceapadh gur fhág duine éigin féirín beag againn!'

'Chonaic mé cheana é sin in áit éigin,' a dúirt Louise Bheag i gcogar lena deartháir. 'Ní san Ochtapas Dubh a chonaic mé é, ná ar *Ordóg na Feirge*, ná ar an *Fantasque*....'

'Ná i bPort Royal,' a dúirt Benjamin. 'B'fhéidir gur i Veracruz...?'

'Tá sé agam!' a dúirt Louise Bheag. 'Sin duine de na foghlaithe mara a d'fhuadaigh muid i Saint Malo!'*

Ligeadh racht gáire lena gcúl. 'Is é an diabhal féin a thug anseo iad! Bhur gcéad fáilte ar an *Lámh Dhearg*, a scoraigh!'

Fiú sular iompaigh siad thart, thuig an bheirt go raibh siad i ngreim ag an bhFéasóg Dhubh....

*Bratach na gCnámh 1: Éalú as Páras.

'An rrrógairrre marrra! An rrrifíneach farrraige! Rrrrr!' D'eitil an phearóid in airde sa chrann.

'Amachaigí libh ar an deic!' a deir an Fhéasóg Dhubh.

Chruinnigh an criú thart orthu agus iad á bhféachaint go fiosrach. D'fháisc Louise Bheag lámh Bhenjamin. In éineacht, dhreap siad amach ar an deic. Rug Ard Tanaí greim cúl mhuiníl ar an mbeirt acu agus rug sé i láthair an Chaptaein iad. Bhí sé ina sheasamh ag an tslat bhoird agus sean-mhairnéalach ar leathchois lena ais.

'Tá laethanta fada caite agam ar lorg bhur n-athar, agus tá a fhios agam anois cá bhfuil a thriall. Tá an scéal ar fad ag seanchomrádaí liom, agus tá sé sásta filleadh ar an bhfarraige, fiú — nach bhfuil, a Bharraicín?'

Thosaigh an seanfhoghlaí mara ag seitreach gáire. 'Leigheas ar na scoilteacha atá san ór!'

'Beidh mo chuid gunnaí móra-sa ina gcabhair ag an gCaptaen Roc nuair a bheidh sé ag tabhairt aghaidh ar na Spáinnigh. Agus ansin,' a dúirt an Fhéasóg Dhubh, 'chomh maith le hór na Spáinne, tabhar-faidh sé dom an t-ór ar fad atá cruinnithe aige mar mhalairt oraibhse. Ceadóidh sé sin dom m'oileán féin a cheannach, bean uasal a phósadh, agus an chuid eile de mo shaol a chaitheamh ar mo sháimhín só.'

'Is ar bhun rópa a chaithfidh tusa an chuid eile de do shaol!' a d'fhreagair Louise Bheag.

Thug Ard Tanaí croitheadh don bheirt. 'An ndúnfaidh mé sa pholl iad?'

'Ná déan! Bainimis beagán oibre astu! Tá cnaipí le fuáil ar mo sheaicéad agus tá snas le cur ar mo bhróga. Tá seolta le deisiú, rópaí le spladhsáil, deic le sciúradh, agus francaigh le ruaigeadh as an stóras. Agus sibhse ar fad! Ná seasaigí ansin in bhur staic! Téigí ag obair, a phaca diabhal, nó gheobhaidh sibh blaiseadh de chat na naoi n-eireaball!'

'Sin í an lasc,' a dúirt Benjamin i gcogar le Louise Bheag.

Rith na foghlaithe mara chun na hoibre.

'Is léir,' a deir Louise Bheag, 'nach bhfuil deireadh fós lenár gcuid eachtraí ar an bhfarraige!'

An tÚdar

'Dar adharrrca an diabhail, iarradh orrrmsa, Dún-do Ghob, labhairrrt ar son an údairrr. Is beag am a chaith sé ar an bhfarrraige, b'fhearrr leis na sléibhte. Ach níor stop sé sin é ag samhlú rrruathair loinge agus ionsaithe marrra. Táim cinnte go bhfuil a fhios aige cár cuireadh an t-ór i bhfolach, ach baineann sé sásamh as muid a thabhairt ar chamchuairt mhara. Caithfear an tsraith ar fad a léamh sula bhfeicfidh tú cá bhfuil an t-órrrchiste — rud a chinnteodh go mbeadh eachtrrraí mórrra farrraige againn, in ainm Neiptiúin!'

An tEalaíontóir

'I Roanne i 1982 a saolaíodh mé, agus thuig mé go raibh tóir agam ar an ealaín ó bhí mé ar an mbunscoil — agus mo chóipleabhair scoile á maisiú agam. D'fhág mé mo bhaile dúchais gan mhoill chun mo shaol a chaitheamh leis an bpaisean sin. Chuaigh mé i mbun staidéir i Scoil Émile Cohl i Lyon. Chomh luath is a bhain mé an chéim amach chuaigh mé i bun oibre, le teach foilsitheoireachta Flammarion ar dtús, ag dearadh clúdach dóibh. Tá ríméad orm a bheith ag obair leo arís ar Bhratach na gCnámh!'

GLUAIS

slat seoil: cuaille cothrománach ceangailte den chrann seoil
crann seoil: cuaille mór ingearach adhmaid ingearach
slat bhoird: ráille thart timpeall ar long
gaileon: long mhór Spáinneach
bord na sceathraí: taobh na láimhe deise de bhád
bord na heangaí: taobh na láimhe clé de bhád
ball, posta, ó bhall go posta: ó thosach go deireadh an bháid
scriúta: rópa a cheanglaíonn crann seoil den long
máta: leascheannaire loinge
bósan: oifigeach i gceannas ar obair an chriú
fanaile: an planda as a mbaintear blaistiú fanaile
faighneog: cineál pónaire fada ina mbíonn síolta
stíoróipí: tacaí crochta den diallait do chosa an mharcaigh
armada: cabhlach Spáinneach
friogáid: long
rigín: rópaí na seolta
slúpa: bád a raibh crann amháin uirthi
bruigintín: long dhá chrann feistithe le seolta cearnógacha
cat na naoi n-eireaball, an cat: fuip a raibh naoi lasc uirthi
poll na loinge: thíos faoin deic